4+3=5

4+2=3

D1467862

Directora de la colección: Mª José Gómez-Navarro

Coordinación editorial: Juan Nieto

Dirección de arte: Departamento de imagen y diseño GELV

Séptima edición: marzo 2008

Traducción: Frank Schleper

Título original: *The Case of the Spooky Sleepover*
Publicado por primera vez por Scholastic Inc.
© Del texto: James Preller
© De las ilustraciones: Peter Nieländer
© De esta edición: Editorial Luis Vives, 2004
  Carretera de Madrid, km. 315,700
  50012 Zaragoza
  teléfono: 913 344 883
  www.edelvives.es

ISBN: 978-84-263-5545-4
Depósito legal: Z. 713-08

Talleres Gráficos Edelvives (50012 Zaragoza)
Certificados ISO 9001
Printed in Spain

Nino Puzle

El fantasma nocturno

James Preller

Ilustraciones:
Peter Nieländer

❧ EDELVIVES

Para Mike y Mary

Índice

1. Desayuno con Rafa 6

2. Explota mi albóndiga 11

3. Murciélagos en clase 17

4. En la cabaña del árbol 24

5. Gritos nocturnos 29

6. Una noche con el fantasma 34

7. Una historia de miedo 39

8. Ojos en la oscuridad 44

9. El visitante nocturno 51

10. Detectives de la naturaleza 59

11. Huellas misteriosas 67

12. Ducha fría para Julio 74

Puzle 80

1. Desayuno con Rafa

Rafa es el chico más popular del aula 201. Cae bien a todo el mundo. Y todo el mundo le cae bien a él. Tiene los ojos negros, el pelo castaño y es más delgado que un espárrago. Y, además, tiene la sonrisa más grande que puedas imaginar. No hay nadie que sonría con más gracia ni con más frecuencia que Rafa.

Sin embargo, hoy Rafa no sonreía.

Se sentó a mi lado en el patio del colegio.

—Hola, Puzle —me saludó—. ¿Tienes un minuto?

No es fácil hablar con un trozo de bocadillo de jamón serrano entre los dientes, ya lo sé, pero lo intenté de todas formas.

—Muanf— murmuré.

Tuve que bajar el jamón con un gran trago de leche.

—Vaya —dije—. Ahora sí.

Rafa hizo un esfuerzo para sonreír, pero la sonrisa no le duró mucho. No era una buena señal. Si él no era capaz de mantener la sonrisa, debía de tener algún problema.

—¿Qué te pasa hoy, Rafa? —le pregunté—. ¿Tu madre te ha vuelto a poner chorizo en el bocadillo?

—No, no tiene nada que ver con eso —respondió él.

Y como para demostrármelo, vació la mochila. Colocó todo lo que llevaba delante de mí en una larga fila: un sándwich de jamón york, una bolsita de plástico con uvas, dos galletas rellenas de chocolate, una zanahoria y un zumo. Agarró el sándwich y lo aplastó entre sus manos. Luego le dio un par de mordiscos. Después, abrió la primera de las galletas y se comió el relleno de chocolate.

—Oye —dijo Rafa al final—. ¿Sigues siendo detective?

—Desde luego —respondí—. Por un euro al día, te resuelvo la vida.

Rafa no dijo nada. Suspiró profundamente y dedicó su atención a la segunda galleta. Esperé.

Cuando uno es detective aprende que hay momentos en los que es mejor relajarse y escuchar. Y eso fue lo que hice.

Por fin, Rafa se dispuso a hablar.

—¿Puedes guardar un secreto? —susurró.

—Claro que sí —respondí—. Pero si se trata de un caso, tienes que saber que comparto toda la información con Mila. Es mi socia, ya sabes...

Rafa se quedó un rato pensando. Al final, se encogió de hombros.

—Me da igual. De todas formas, es un asunto espeluznante.

Esperé a que se decidiera a contar la parte espeluznante.

Después de otro rato en silencio, lo hizo por fin.

—Puzle —dijo—. ¿Crees en los fantasmas?

2. Explota
mi albóndiga

—¿Fantasmas? —repetí—. ¿Como Casper, el pequeño fantasma simpático?

—No —respondió negando con la cabeza—. Más bien un fantasma antipático.

No sé si fue la mirada de Rafa. A lo mejor es que se levantó una ráfaga de viento. El caso es que sentí un escalofrío. Como cuando veo una película de miedo con las luces del salón apagadas.

—Las fantasmas no existen —dije con firmeza y para darme valor.

Pero, en realidad, no estaba tan seguro. Sólo quería demostrarle a Rafa que yo no tenía miedo. Nadie contrataría a un detective gallina.

Rafa frunció el ceño. Luego puso una sonrisa de las más amplias y más despreocupadas. Una «especial de Rafa», pero yo sabía que sólo estaba actuando.

—¿A qué viene todo esto? —pregunté—. ¿Has visto un fantasma?

—Déjalo, no te preocupes. Seguro que es una tontería.

—Eso es. No es nada —asentí con él—. De todas formas, si quieres hablar, pásate esta tarde por la cabaña del árbol. Estaré allí si me necesitas.

—Gracias, Puzle —dijo Rafa—. Creo que iré a verte.

Después señaló lo que dejaba sin tocar del desayuno: la zanahoria, las uvas y el zumo.

—¿Te apetece? —preguntó.

Le dije que gracias, pero que no. Rafa metió todo en la bolsa de plástico y la estrujó hasta convertirla en una pelota. Luego se levantó, sopesó el envoltorio, tomó aire y le dio una patada. La bolsa voló y cayó justo dentro de la papelera.

«¡¡PLOF!!»

—¡Gol! ¡Gol, gol, gol, gol, goooooo-ool! —gritó con voz de locutor de radio—. Rafa ha vuelto a meter la pelota en la papelera. ¡Otro fantástico tanto del delantero!

Cuando Rafa se hubo marchado saqué mi diario de detective de la mochila. Arranqué una hoja para escribir un mensaje codificado a Mila. Todos nuestros mensajes utilizan un código secreto.

Papelera

En esta ocasión, decidí utilizar el «de espacios». Consistía en escribir las palabras sin espacios entre ellas. Quedó así:

VENTEALACASADELARBOLDESPUESDECLASE.

Lo miré. Parecía demasiado fácil. Decidí arrancar otra hoja y poner espacios donde no debía haberlos. Ahora ya me gustaba más.

VE NTEAL ACA SADE LAR BOLDES PUES DECLA SE.

Ahora, Mila sólo tenía que identificar las palabras de verdad y separarlas con barras. Una vez descodificado el mensaje, debería quedar así:

VE NTE / A / L A / CA SA / DE L / ÁR BOL / DES PUÉS DE / CLA SE.

Vi que Mila estaba sentada con Lucía y Pedro. Lucía había traído un almuerzo especial ese día: albondiguillas. A mí me parecían unas pequeñas boñigas. La verdad es que no entendía cómo Lucía se podía tragar eso. ¡Dios mío!

Mila estaba cantando. Era algo normal en ella. Para que no lo hiciera habría que taparle la boca con esparadrapo. Era una canción horrible a la que Mila había cambiado la letra, como siempre. Lucía y Pedro se estaban riendo a carcajadas mientras la escuchaban.

Ajá, ajá, comer y rascar,
todo es empezar.
Ajá, ajá, comer y rascar,
todo es empezar.
Me exploó, explota y explota,
mi albondiga explota y explota.
Comer y rascar,
todo es empezar.
Me exploó, explota,
mi albondiga explota.

Después de saludarlos, le di el mensaje a Mila. Se lo metió en el bolsillo sin ni siquiera mirarlo, pues en ese momento acababa de sonar el timbre.

Se había terminado el recreo.

Pero el nuevo caso del misterioso fantasma nocturno sólo acababa de empezar.

3. Murciélagos en clase

En clase, la seño Margarita dijo que íbamos a estudiar los animales nocturnos. Nos fue mirando a todos, uno por uno.

—A ver —preguntó la seño—. ¿Quién me puede decir lo que significa «animales nocturno»?

—Son animales —dijo Iván gritando— que se pasan todo el día durmiendo y luego, por la noche, salen.

La seño Margarita le hizo caso omiso. No le gustaba nada que se gritara la respuesta, ni siquiera si era la correcta. Así que preguntó a Paqui.

—Muchas gracias por levantar la mano, Paqui —dijo sonriente.

Como siempre, ella se lo sabía.

—Ayer hablamos de las lechuzas —dijo la profe—, y hoy vamos a estudiar los murciélagos.

Rafa dijo de repente:

—Es el único animal que tiene las cinco vocales.

La seño no pudo evitar sonreír. Era difícil enfadarse con Rafa, aunque hubiera intervenido sin levantar la mano.

Estuvimos un buen rato hablando de los murciélagos. Todos sabíamos alguna historia sobre ellos. La seño nos leyó un texto sobre estos animales. El libro tenía también unas fotos estupendas.

Más tarde, nos dividimos en grupos para comparar las lechuzas con los murciélagos.

Tenían muchas cosas en común. Los dos son depredadores. Cazan durante la noche.

Luego hablamos de las diferencias. Era también bastante fácil. Las lechuzas son pájaros. Tienen plumas. Los murciélagos, sin embargo, son mamíferos aunque puede que ellos «crean» que son pájaros.

Al final del día, hicimos unos murciélagos de cartón y los pegamos a unos listones de madera. Fue muy divertido. Sólo hubo un pequeño problema, se me cayó un poco de pegamento al suelo. Vino Elena, lo pisó y se enfadó conmigo.

Había sido sin querer. Nadie es perfecto.

Antes de recoger, la seño Margarita nos recordó que el lunes iríamos de excursión. Nuestro destino era el parque natural Cuatro Ríos. Íbamos a ir en autocar. Vendrían dos padres con nosotros.

La profe dijo que fuéramos preparados también para la lluvia, porque iríamos de cualquier manera, tanto si lucía sol como si caían chuzos.

—La primavera está a la vuelta de la esquina —nos explicó—. Eso quiere decir que va a llover mucho. Todas las flores y los árboles necesitan agua para crecer.

Pedro dijo que esperaba que lloviese a cántaros. Era típico en él. Le encantaba saltar en los charcos para mojar a todo el mundo.

—¿Y qué vamos a hacer en el parque? —preguntó José.

Todos sabíamos la respuesta, incluso él, lo que pasa es que queríamos escucharla de nuevo.

—Un guía nos llevará al lago de los Ciervos —nos recordó la seño—. Veremos dónde y cómo viven los animales, y qué comen. Los observaremos y trataremos de sacar algunas conclusiones.

—¿Cómo se sacan conclusiones? —pregunté—. ¿Con sacacorchos?

Todo el mundo se rió, menos la seño Margarita.

—Por favor, Paulino —dijo con voz muy seria—. Estoy harta de que siempre me estéis interrumpiendo.

La seño se frotó los ojos, y fue como si el cuerpo se le encogiera un poco. La verdad es que me dio mucha pena. Respiró profundamente y continuó:

—Lo pasaremos muy bien. Comeremos en el parque. Y si hace bueno, al final del día, iremos a buscar el tesoro.

¡Estupendo! A todos nos apetecía un montón. Vale, el parque Cuatro Ríos no era un parque de atracciones, pero siempre molaba más que tener clase normal.

—Bueno, chicos y chicas —dijo la seño—. Ha sido una semana larga y dura. Creo que nos vendrá bien un poco de relajación. Vamos a hacer un ejercicio con la voz. ¿Os apetece pegar un grito?

¡Desde luego que sí!

La seño Margarita contó hacia atrás:

—Cinco... cuatro... tres... dos... uno... ¡cero!

Durante diez segundos gritamos todos a más no poder. Chillamos y silbamos. Ululamos y bramamos. ¡Gritamos como locos! Y al final nos volvimos a tranquilizar. ¡Vaya forma más chula de terminar una semana de clase!

4. En la cabaña del árbol

Si hacía buen tiempo utilizaba la cabaña del árbol de mi patio como oficina. A lo mejor no era la mejor cabaña de todas. Vale, se inclinaba hacia un lado y a veces se movía tanto que nos asustábamos; pero oye, todo eso me daba igual. Lo importante era que yo era su dueño. En realidad se hizo para que la utilizásemos todos los niños de mi familia: Jaime, Ana, Fernando, Dani y yo. Pero, ahora, mandaba sólo yo.

Subí por la escalera de la cabaña para esperar a Mila y Rafa allí. Preparé una jarra de mosto y tres vasos. Tomé un trago. De repente, la cabeza de Mila asomó por el borde.

—¡Uuuuh! —gritó.

El mosto me salió por la nariz.

—¡Mila! Casi me da un infarto.

—Tranquilo, Puzle —dijo para calmarme—. Sólo estaba practicando mis ataques por sorpresa. Ya me salen muy bien, ¿no crees?

Tuve que confesar que era muy buena acercándose sigilosamente.

—Pero, la próxima vez —le pedí—, practica con otro, ¿de acuerdo?

Soltó una carcajada.

—Por cierto —me acordé de repente—: ¿por qué *Trapo* no ha ladrado?

—Le di la mitad de mi bocadillo —dijo Mila—. Por eso se calló.

Típico. Si le das comida, te querrá para siempre. A mí me parecía bien. Me gustaba que Mila y *Trapo* fuesen buenos amigos. El problema era que el pelo de los bichos le daba alergia a Mila. Al principio no podía acercarse a *Trapo*, pero ahora tomaba una medicina nueva contra la alergia y parecía funcionar de maravilla. Yo estaba muy contento. Por fin, se acabarían los estornudos.

Puse al tanto a Mila de mi conversación con Rafa. Ella prestó mucho atención. En ese momento llegó él en su bici. La dejó apoyada en el árbol y subió la escalera. *Trapo* le estaba mirando y ladró dos veces. Para mi perro eso ya suponía un gran esfuerzo.

Al llegar arriba, Rafa sacó un euro del bolsillo y me lo ofreció.

—De momento, quédate la pasta —dije—. Todavía no me has dicho qué quieres que haga.

—Quiero que me resuelvas la vida —respondió.

—¿Qué le pasa a tu vida? —preguntó Mila.

Rafa la miró un segundo. Luego me volvió a mirar a mí.

—No se reirá, ¿verdad?

—No; si no le haces cosquillas —dije, y saqué el diario de detective y apunté:

El caso del fantasma
Cliente: Rafa

—Adelante, Rafa —le animó Mila—. Nadie se reirá.

Muy despacio, Rafa tomó un gran trago de mosto.

—En mi casa, ¡hay un fantasma!

5. Gritos
nocturnos

Me llené otra vez el vaso.

—Cada noche, cuando me voy a la cama —continuó Rafa—, oigo ruidos extraños.

—Será el viento —dijo Mila.

—¿Has oído alguna vez al viento hacer «criiich, criiich» por las paredes? —preguntó Rafa—. ¿O «bum, bum, bum, bum» por el suelo? ¿O que arrastre cadenas y grite a medianoche?

—Podría tratarse de un animal de la noche —dije recordando las explicaciones de clase.

—Eso, un animal nocturno —me corrigió Mila—. Una lechuza o un murciélago o...

—¡...o un alce! —añadí.

—¿Un qué? —preguntó Mila.

—¿No sabes lo que es un alce? —le preguntó poniéndome las manos en la frente como si fuera una cornamenta.

Mila suspiró y movió la cabeza de un lado a otro. Se giró hacia Rafa.

—¿Dices que has oído gritos? —le preguntó ignorandome.

—Así —dijo Rafa poniendo las manos alrededor de la boca para que sonase más fuerte—: ¡Uuuooouuu, uuuooouuu!

Con esto Rafa me convenció. Abrí de nuevo el diario para dibujar un retrato del sospechoso. Lo que me salió no tenía mucha pinta de ser un fantasma. Más bien, parecía un calcetín al revés y con ojos. ¡Dios mío!

Miré a Rafa y, con un movimiento de cabeza, indiqué el tarro de vidrio que estaba a mi lado. Rafa metió el euro.

—¿Y ahora qué? —preguntó.

—Ahora —respondió Mila—, vamos a ver la escena del crimen.

Tardamos tres minutos en llegar a su casa que, al igual que la primavera, estaba a la vuelta de la esquina.

Era la más antigua de todo el barrio: una casa unifamiliar, de dos plantas y con un tejado alto e inclinado. Rafa nos llevó hasta la puerta de entrada. De repente, oímos un chirrido agudo: «criiiic, criiiic». Eran las cadenas de un columpio que se movía con el viento, al lado de la puerta.

—Mi madre está de viaje; ha ido a ver a una prima —explicó Rafa—. Mi padre trabaja en casa, pero no quiere que le moleste, a no ser que se trate de una verdadera emergencia.

Nos llevó a su habitación, en el piso de arriba. Era muy grande y tenía las paredes forradas de madera oscura y el techo inclinado. Daba la sensación de que estabas en una cueva. Molaba mucho.

—Veo que te gustan las historias de miedo —observó Mila mirando los libros que había en la estantería.

Inclinó la cabeza para leer los títulos en voz alta:

—*En la habitación oscura. El fantasma de 3º de primaria. Terror en el ático.*

Miré por la ventana. Detrás de la casa había un jardín con césped. Más allá, un sauce solitario y, un poco más a la derecha, una zona asfaltada para aparcar el coche. Allí estaba Julio, el hermano de Rafa, jugando solo al baloncesto.

—Oye, Mila —dije—. Puedo ver tu casa desde aquí.

—Es verdad, Puzle —contestó ella, acercándose—. ¿Ves esa ventana a la izquierda? Es mi habitación.

Después eché un vistazo a la habitación. Todo parecía muy normal.

—Bueno, Rafa —dije—. No veo huellas de fantasma por ningún lado.

—¿Y qué esperabas? —contestó—. Los fantasmas son seres nocturnos. Sólo salen por la noche.

—Entonces, está claro —concluyó Mila cruzando los brazos—. Puzle, tienes que pasar aquí la noche.

—¿Tengo qué? —intenté protestar—. Pero...

—¡Mola! —gritó Rafa enseguida—. Voy a decírselo a mi padre...

¡Dios mío! A mí siempre me toca el trabajo sucio.

6. Una noche con el fantasma

La tarde del sábado descolgué el teléfono y marqué el número de Rafa.

—¡Diga! —respondió una voz.

—¿Está Rafa?

—¿Perdona? —preguntó la voz.

Debía de ser su padre.

—¿Está Rafa? —repetí, y añadí por si acaso—: por favor.

Oí sólo silencio.

—Soy Puzle —me identifiqué al final.

—Así me gusta, Puzle —contestó el padre de Rafa—. Ahora se pone.

Cuando por fin pude hablar con él, le dije que tal vez fuera una buena idea llevarme a *Trapo* a su casa.

—Siempre duerme conmigo —le expliqué—. Si me voy a dormir a tu casa y se queda él solo aquí, pasará miedo.

A Rafa le encantó la idea. Pidió permiso a su padre y le dijo que sí. Ya sabía que el padre de Rafa no se negaría. Le encantan los perros. Recuerdo que una vez que nos fuimos de vacaciones, dejamos a *Trapo* en su casa durante toda la semana y sus padres no pusieron ninguna pega.

Me duché —hasta usé jabón y todo—, me lavé la cabeza y me peiné. Me puse dos calcetines iguales y calzoncillos limpios. Era la imagen perfecta de un detective hasta que me metí en los pantalones que había heredado de mi hermano.

—¡Mamá! —grité—. No me voy a poner los vaqueros viejos de Fernando.

—¡Pero qué dices! —exclamó ella por el pasillo acercándose al baño—. Te quedan fenomenal.

Tuvo que recoger el largo de los vaqueros.

—¡Ves! —dijo—. ¡Mucho mejor!

—¡Pero Mamá! —insistí—. Me están enormes. Así no puedo ir a casa de Rafa. Parezco un saco de patatas.

—Estos vaqueros te quedan de maravilla.

—Pero...

—Nada de peros, Paulino.

—Pero...

Entonces me echó su famosa mirada.

La mirada que significaba «esta conversación ha acabado».

Metí en la mochila todo lo que me hacía falta: cepillo de dientes, pijama, el diario de detective, rotuladores, un plato para el agua de *Trapo* y un hueso. También metí la linterna que guardábamos en la cocina por si había un apagón. Aunque no pedí permiso para llevármela. Habría sido demasiado arriesgado. Mi madre era capaz de decir que no.

Cuando llegué a casa de Rafa, él estaba en el jardín jugando con su hermano. Julio tenía quince años. Era alto y fuerte y corría más rápido que el viento. Le encantaban los deportes. Cualquier deporte. A veces Julio nos tomaba el pelo, pero casi siempre se portaba muy bien... es decir, teniendo en cuenta que es un adolescente.

Julio se inclinó para acariciar a *Trapo*.

—Hola, *Trapo*. ¿Te acuerdas de mí?

Trapo respondió agitando el rabo. Sí que se acordaba.

—*Trapo* dormirá con nosotros esta noche —explicó Rafa a su hermano—. Será nuestro perro guardián.

—¿Perro guardián? ¿Para qué?

Rafa echó una mirada a su alrededor antes de susurrar:

—Ya sabes lo que te conté. ¡El fantasma!

Julio soltó una carcajada.

—¡El fantasma! —dijo en voz alta—. ¡No seáis ridículos! Los fantasmas no existen. Te lo estás imaginando.

Rafa no hizo caso a su hermano.

—Vale, vale —respondió—. No me creas, me da igual. Pero te vas a arrepentir cuando el fantasma vaya a tu habitación y te dé un susto de muerte.

7. Una historia de miedo

Mila no se apuntó a la caza del fantasma, pero sí a jugar y cenar en casa de Rafa. Primero, jugamos al fútbol en el jardín. Lo divertido fue que, en vez de una pelota, utilizamos uno de esos platos para lanzar. Formamos dos equipos: Julio y Mila contra Rafa y yo. Me hubiera gustado poder decir que ganamos, pero no fue así. Mi equipo perdió.

La mayor parte del tiempo, sin embargo, lo pasamos esperando al fantasma. ¡Pero en balde! Observamos como se iba poniendo el sol por el horizonte. Las sombras en el jardín se hacían cada vez más largas. Empezó a soplar el viento. Las hojas bailaban en las ramas de los árboles. Al final, como una gran manta de lana, nos envolvió la oscuridad.

El padre de Rafa se asomó a la puerta.

—A cenar —dijo—. Ha llegado la pizza. Parece que amenaza tormenta. Meteos dentro.

Después de la cena, Mila se marchó a su casa, pero antes repasamos una vez más nuestro plan. Íbamos a mandarnos, con las linternas, señales desde nuestras ventanas. Tres luces cortas quería decir que todo iba bien, dos largas significaba que había problemas.

—Y si os encontráis en apuros —preguntó Mila—, ¿qué hago?

—Llama a los cazafantasmas —bromeó Rafa, pero a nadie le hizo gracia.

—Ya se te ocurrirá algo —dije a Mila.

De repente, cayó un aguacero de los buenos. Llovió a cántaros. Y a barriles y a tinajas también. Llovió tanto que el padre de Rafa tuvo que llevar a Mila a su casa en coche, a pesar de que vivía a la vuelta de la esquina.

El padre de Rafa nos permitió ver una película de zombis en el vídeo. Incluso nos preparó palomitas. Después, ya no sabíamos qué más hacer y subimos a la habitación a esperar al fantasma. Pusimos los sacos de dormir en el suelo. *Trapo* se hizo una rosquilla en una esquina.

—No tengo nada de sueño —dije—. ¿Y tú?

—Cero patatero —respondió Rafa.

De repente, llamaron a la puerta.

—¿Estáis despiertos? —se oyó la voz de Julio.

Entró con una caja debajo del brazo.

—¿Ya habéis visto al fantasma? —preguntó.

—Todavía no —respondió Rafa, todo serio.

Julio se sentó delante de nosotros cruzando las piernas. Dejó la caja en el suelo, en medio de la habitación.

—Pues, lo siento, pero os voy a estropear la caza del fantasma —dijo Julio—. Los fantasmas no existen.

Hizo una pequeña pausa antes de continuar.

—Pero, si queréis, os puedo contar una historia de miedo.

Miré a Rafa. Asintió con la cabeza. ¡Sí!

Julio miró a su alrededor y frunció el ceño.

—Demasiada luz —dijo, y apagó las luces una por una.

Al final, ya casi ni se le distinguía la cara.

—Un segundo —añadió.

Cogió mi linterna y dirigió el haz de luz hacia nosotros. En las paredes se proyectaban sombras espeluznantes, como si nosotros fuéramos unos cuervos negros.

—Hace muchos años... —comenzó.

Hablaba con voz muy baja, casi susurrando. Nos tuvimos que acercar para oírle bien lo que decía.

—...en este lugar, mataron a un hombre.

Rafa me agarró la muñeca.

—Sé que es verdad —continuó Julio—, porque un día que estaba excavando en el jardín encontré esta caja al lado del sauce.

Tocó la caja con una mano.

—Supongo que no os atrevéis a pedirme que la abra. ¿O sí?

Rafa volvió a asentir con la cabeza. Sí. Sí que se atrevía.

Yo no dije nada, por si acaso.

Julio apagó la linterna.

De repente, la habitación estaba más oscura que la tumba de una momia.

Julio abrió la caja...

8. Ojos en la oscuridad

Estaba tan oscuro que no se podía ver nada. Escuché con atención y sentí el cuerpo de Rafa a mi lado.

—En esta caja —dijo Julio— está la carne podrida de la víctima.

—¿De verdad? —pregunté.

—¡Shhhh! —me hizo callar Rafa.

«De eso nada —pensé —, no es verdad, es sólo un cuento».

—Acercad vuestras manos —nos ordenó Julio.

Me dio dos pequeños objetos redondos y resbaladizos. Eran como dos canicas, pero un poco menos duras.

—Éstos son sus ojos —dijo Julio.

¡Dios mío!

Se los pasé a Rafa.

Julio me dio otra cosa. Era un poco más grande, pero no mucho, y estaba más blanda. Tenía pequeños bultos y se doblaba entre mis dedos.

—Ésta es una de sus orejas.

Tuve una sensación extraña en el estómago. También se la di a Rafa.

—Ahora viene la parte peor, la más asquerosa y terrible —susurró Julio—. No tenéis miedo, ¿verdad?

No respondimos. Creo que ni siquiera nos atrevíamos a respirar.

—Aquí. La he dejado en el suelo —continuó Julio—. Buscadla.

Rafa y yo extendimos la mano. Encontré una cosa babosa. Como no podía ver absolutamente nada de nada, intenté averiguar qué forma tenía.

Toqué unas partes delgadas, alargadas, como unos gusanos gordos. Los conté.

Uno, dos, tres, cuatro...

—Ésta es... —dijo Julio.

—...su mano —grité.

—¡Aaaaaayyyyyy! —gritó también Rafa.

Se levantó de golpe y encendió la luz.

Julio, de tanto reírse, se cayó de espaldas.

Con la luz encendida ya podíamos ver las partes del cuerpo.

Los ojos eran dos uvas peladas, la oreja era un albaricoque seco: un orejón. Y la mano era un guante de goma lleno de barro.

Sin dejar de reírse, Julio se levantó y se acercó a la puerta.

—Calmaos, chicos —dijo para despedirse—. Ha sido el único susto de esta noche. Recordad: los fantasmas no existen.

Al verlo salir, me quedé más tranquilo.

Con un poco de suerte, mi cuerpo dejaría de temblar dentro de un rato.

De repente, me acordé de mi socia.

—¡Mila! —grité.

Fuimos corriendo hacia la ventana. Seguía lloviendo, pero con menos fuerza que antes. Hicimos tres señales cortas. No hubo respuesta. Repetimos. Buscamos en la oscuridad, pero no vimos nada.

—¡Mira! —gritó Rafa de repente.

Tenía razón. Tres señales cortas. Era la respuesta de Mila.

Volvimos a meternos en los sacos y apagamos de nuevo la luz.

—Oye, Puzle —dijo Rafa—. ¿Te cuento un chiste?

—Venga.

—¿Qué ropa lleva un fantasma?

—Ni idea —contesté.

—¡El último grito!

A pesar de la oscuridad, vi la brillante sonrisa blanca de Rafa. Luego bostezó.

Pasamos un minuto sin hablar.

—¿Tienes sueño, Rafa? —pregunté—. ¿Rafa?

Se había quedado dormido.

¡Menuda gracia! Me quedé solo y despierto en la habitación oscura. Pensé que ésta había sido la peor idea que Mila había tenido nunca. Intenté dormirme. Es decir, hice realmente un gran esfuerzo para dormirme, pero no conseguí dejar de pensar en fantasmas, ojos podridos y ruidos extraños.

«Criiiich. Criiiich.»

«Bah, no es nada —pensé—, sólo es el viento».

«Criiiich. Criiiich. Criiiiiiiiiiiiiiiich.»

El ruido parecía venir de la pared que tenía más cerca. Intenté tararear una melodía para olvidarlo: «Lalalí, lalalá».

Enseguida comenzó aquella especie de gritos, igual que Rafa había dicho.

«Uuuooouuu, uuuooouuu.»

Levanté la cabeza y miré a mi alrededor. Cada vez había más ruidos.

«Bum, bum, bum.»

De repente, en una de las esquinas, vi dos ojos amarillos. Parecían estar flotando en el aire.

«Criiiich. Criiiich. Bum, bum, bum. Uuuooouuu.»

Los ojos se acercaban cada vez más a mí. Más y más.

En ese momento lo comprendí todo: había llegado mi fin.

9. El visitante nocturno

«¡ESSSUISHHH!»

Una lengua gigantesca me lamió la cara.

—¡*Trapo!* —grité—. ¡Viejo amigo!

Los ojos flotantes habían sido los de mi perro, los de mi querido y baboso *Trapo*. Nunca antes en mi vida me habían alegrado tanto sus lametones.

Pero mi alegría no iba a durar mucho. De golpe, oí un grito agudo. Venía de la planta baja. Después, nada. Silencio absoluto.

No me preguntéis por qué, pero tenía que averiguar que había pasado. Agarré la linterna. Rafa seguía durmiendo.

—*Trapo*, ven —susurré.

Mi valiente perro avanzó por el pasillo. En ese momento me alegré más que nunca de que Trapo no fuera un caniche. Le seguí escaleras abajo.

«Bum, bum, bum.»

Me paré para escuchar. Vaya, parecía que había sido el latido de mi corazón, nada más.

Luego, oí otro grito. Y una voz apagada que decía: «¡A por él! ¡A por él!»

De repente, noté una mano que me tocó el hombro. Me pegué un susto de muerte.

—¿Qué pasa, Puzle?

Me di la vuelta. Era Rafa.

Le puse un dedo en los labios para que se callase.

—Creo que está ahí abajo.

—¿El qué? —preguntó.

Seguía medio dormido, el pobre.

—El fantasma —susurré.

—¡NO! ¡NO! —gritó la voz misteriosa.

Rafa soltó una sonora carcajada.

—Te equivocas, Puzle. Es mi padre. Seguro que está viendo un partido. Siempre grita a los jugadores. En ese momento, *Trapo* dio un gran salto, bajó de golpe el resto de los escalones y se fue corriendo al salón.

Enseguida se asomó el padre de Rafa con una fuente de galletas saladas en la mano.

—¡Rafa! ¡Puzle! ¿Qué hacéis levantados a estas horas? Vamos, apagad la linterna.

Trapo se quedó a sus pies esperando que le cayera alguna galleta.

—Ejem, ejem... —tartamudeó Rafa.

—*Trapo* tiene sed —se me ocurrió decir.

El padre de Rafa nos miró extrañado y dio una galleta a mi perro.

—Vale—dijo al final—. Dadle agua, pero después volvéis a la cama. ¡Y a dormir!

Entramos en la cocina. Di agua a *Trapo* y se la bebió en un dos por tres. Luego, revisé los armarios. Encontré lo que estaba buscando: un paquete de palomitas.

—¿Nos las podemos llevar a la habitación? —pregunté a Rafa.

—Supongo que sí. ¿Por qué?

—Ya verás —dije.

De nuevo en la habitación, di a *Trapo* el hueso para tenerlo ocupado. Luego, repartí las palomitas por el suelo.

—Es una alarma antifantasma —expliqué—. Si entra aquí y estamos dormidos...

—...oiremos el «crunch, crunch» —completó la frase Rafa.

Por tercera vez en esta noche, nos metimos en los sacos de dormir. Ahora dejamos todas las luces encendidas.

Debí de quedarme dormido porque me desperté al oír un ruido. Eran pasos. Primero, uno. Luego, otro. Y otro más. Cada vez más claros. Cada vez más cerca.

Desperté a Rafa.

—Algo se acerca —susurré aterrado.

El pomo de la puerta comenzó a girar muy despacio. «Criiiii.» La puerta se abrió.

Luego, pasaron un montón de cosas a la vez. Todo se mezcló de una forma terrible.

Rafa se escondió dentro del saco de dormir y se puso a chillar:

—¡No me comas! ¡No me comas! ¡No me comas!

A *Trapo* le dio por correr en círculo en medio de la habitación y ladrar como un loco.

Yo miré hacia la puerta y vi al padre de Rafa.

Parecía tener mucho miedo también. Dio un paso hacia delante.

«Crunch. Crunch. Crunch.» Se puso a girar los brazos en el aire.

—¡*Trapo*, cállate! —grité todo lo que pude.

Después de un rato, Rafa dejó de chillar. *Trapo* dejó de ladrar.

Y el padre de Rafa se quedó en medio de la habitación con las manos en las caderas. Miró a Rafa. Después, a mí. Miró a *Trapo*. Miró las palomitas repartidas por todo el suelo. Después volvió a mirar a Rafa, luego a mí. Su padre no se movió durante mucho tiempo. Luego, soltó un suspiro. Se pasó los fuertes dedos por el bigote y soltó otro suspiro más.

—¿Todo en calma? —preguntó al final.

Asentimos con la cabeza. *Trapo* agitó el rabo, creo que en señal de alivio.

—Rafa, Puzle —pronunció el padre de Rafa muy despacio—. Quiero que vengáis a dormir a mi habitación. Y, por cierto, chicos —añadió antes de obligarnos a seguirle por el pasillo—, por la mañana tendréis que limpiar esta porquería.

Por fin, pudimos dormir. Todos juntos. Yo, Rafa y *Trapo*. Acurrucaditos. Más a gusto que un arbusto.

Todos juntos en la cama grande, superpoblada y supersegura, del padre de Rafa.

10. Detectives de la naturaleza

El domingo me desperté muy temprano. El padre de Rafa nos preparó un superdesayuno mientras nosotros limpiábamos el suelo de la habitación. Recogiendo todas las palomitas, nos entró un hambre bestial. Después de desayunar me fui a mi casa. Necesitaba echarme de nuevo.

El lunes fuimos de excursión al parque natural Cuatro Ríos. Me gustó la idea de alejarnos de los fantasmas, al menos durante un día.

En el autocar, Mila iba sentada a mi lado.

—Creo que el sábado por la noche vi algo —me contó— en el patio de la casa de Rafa.

—¿Qué quieres decir? —le pregunté—.
¿Cómo que viste *algo*?

Mila me susurró al oído.

—Os hice señales con la linterna un montón de veces, pero sólo respondisteis en una ocasión —dijo, y después de una pausa añadió—: Vi una cosa que se movía.

—¿Qué cosa?

Mila negó con la cabeza.

—No lo sé. Estaba demasiado oscuro. Una sombra. Podría haber sido una persona.

—O un fantasma —añadí.

En ese momento el autobús se paró.

Me sorprendió el aspecto que tenía nuestro guía. Me había esperado un guardabosques con uniforme verde y con gorra, pero este chico tenía verde sólo el abrigo. En la cabeza llevaba una gorra tipo Sherlock Holmes y en la mano una lupa de detective. Se llamaba Roberto. Nos llevó primero al Centro de Información del parque. Era como un pequeño museo de historia natural. En el exterior había algunas jaulas. Desde un ventanal enorme de la última sala se podía ver gran parte del parque. Nos turnamos para observar desde allí, con unos prismáticos, los pájaros en los comederos. Molaba mucho. Pero lo mejor de todo fue observar a *Aristóteles*. Tenía una gran jaula sólo para él. Roberto nos dijo que era un búho real.

El guía nos contó una historia muy triste. Un par de años antes, una mujer muy simpática encontró a *Aristóteles* en medio de una carretera. Un coche había atropellado al búho, y el pobre estaba muy mal herido. La mujer lo llevó a un veterinario que le salvó la vida. Desgraciadamente, *Aristóteles* perdió un ala y ya no podría volar nunca más. Tendría que pasar el resto de su vida metido en una jaula en Cuatro Ríos. Me dio mucha pena, el pobre... Rafa y yo intentamos animarlo con un par de ululatos.

Aristóteles no respondió. Pobrecito, no se lo tomamos a mal.

Después, hicimos una marcha. Fuimos por el sendero del lago de los Ciervos. Al cabo de un buen rato, Roberto nos hizo parar para observar algo. Había un montón de bolitas marrones en el suelo. En otras palabras, cacas de ciervo.

Roberto dijo que teníamos mucha suerte.

—Gracias a las lluvias del fin de semana, el suelo está blando y se pueden ver perfectamente las huellas de los animales.

Dijo que podíamos convertirnos en detectives de la naturaleza si buscábamos las huellas –él las llamaba «pistas».

—Creo que he encontrado una —gritó Mila de repente.

—Buen trabajo de detective —dijo Roberto—. Efectivamente, es la pista de un animal.

Roberto nos mostró unas huellas de ciervo en el suelo. Rellenó una con escayola.

—Cuando se endurezca tendréis la huella dejada por el animal lista para llevárosla a vuestro colegio.

—¿Podemos quedárnosla de verdad? —preguntó Vina.

—Claro —respondió Roberto. Fue un día estupendo. Roberto

nos enseñó a mirar las cosas con atención. Por ejemplo, nos indicó una fila de agujeros en un árbol. Teníamos que adivinar qué animal los había hecho. Fue Elena quien acertó: había sido un pájaro carpintero.

Después de la caminata, comimos en una pradera. La seño nos permitió durante un buen rato jugar y correr por todas partes. Y luego fuimos en busca del tesoro. Teníamos que aplicar todas nuestras capacidades detectivescas para encontrar las pistas que nos dejaba la naturaleza.

Descubrí, por ejemplo, una señal que indicaba que soplaba el viento. Era muy fácil: las hojas de los árboles moviéndose. Mila encontró bellotas huecas y dedujimos que algún animal debía de haberse comido la parte de dentro; seguramente una ardilla. Rafa descubrió, incluso, un nido de pájaro con crías, pero Roberto nos dijo que no lo tocáramos.

Al final, lo que aprendimos fue que la naturaleza cuenta historias. Pero no utiliza palabras, sino su propio idioma.

En realidad, aprender a comprender esas historias tiene mucho que ver con el trabajo de detective. Si miras las cosas con suficiente atención, puedes llegar a descubrir lo que hay detrás.

11. Huellas misteriosas

Nada más volver de la excursión decidimos jugar a los detectives de la naturaleza, pero en casa. El jardín de Rafa era el más grande, así que nos fuimos para alla. Antes pasé por casa para coger la lupa de detective. Nos pusimos a buscar pistas de animales. Rafa fue el primero que encontró algo. Pisó una caca de perro.

—Buen trabajo —le felicité, y le di una palmadita en el hombro.

Mientras Rafa se cambiaba de zapatos, Mila y yo seguimos buscando otras huellas de animales. Ella encontró un ciempiés. Me lo puse en la mano y esperé a que caminara, pero el tío

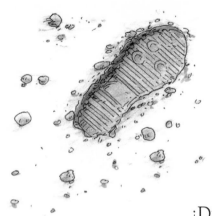

no hizo nada. Después de un rato, nos dimos cuenta de que probablemente estaba muerto. ¡Dios mío!

—Mira, Puzle —dijo Mila de repente—. ¿Qué hace esto aquí?

Estaba en el suelo, entre unos arbustos y la pared de la casa. Y era una escoba.

La examiné con la lupa. Tenía pegada pegotes de barro. Miré para abajo.

—¡Aquí hay huellas! —grité.

Rafa volvió en el momento en el que estábamos observando las huellas misteriosas.

—¿Alguna conclusión? —le pregunté.

Rafa se encogió de hombros.

—Supongo que alguien habrá pasado por aquí —dijo al final.

—¿Por qué crees eso? —pregunté—. Aquí no hay nada.

Nos quedamos pensando un momento.

—¿Puede tener algo que ver con la sombra que viste el sábado pasado por la noche? —pregunté a Mila.

—Sí —respondió ella—. Estaba justo por aquí.

De repente, se me abrieron los ojos. Lo entendí todo: la escoba, la misteriosa sombra, las huellas en el suelo... Las piezas del puzle estaban empezando a encajar.

¡E iban formando una historia
de miedo!

Miré hacia la ventana en lo
alto de la pared. Era la de
la habitación de Rafa.
Vi unas huellas de
tierra debajo
del alféizar.

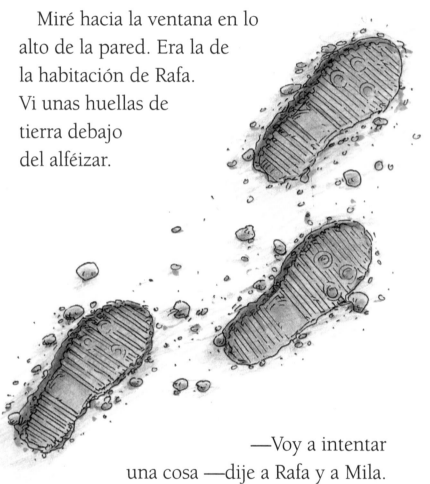

—Voy a intentar
una cosa —dije a Rafa y a Mila.
Levanté la escoba y con ella rasqué la pared.
Escuchamos con atención.

«Criiiich. Criiiich.»

Luego la golpeé. «Bum. Bum. Bum.»

—Ya veo —dijo Rafa—. El fantasma utiliza esta escoba para asustarme con los ruidos.

Mila se agachó para mirar con la lupa las huellas en el suelo.

—No creo que sea un fantasma —dijo enseguida—, a no ser que el fantasma use zapatillas de deporte con este tipo de suela.

Rafa entró en casa.

No tardó ni un minuto en volver con las deportivas de Julio en la mano.

—Ha sido muy fácil encontrarlas —dijo Rafa—. Mi hermano las había dejado al lado de la puerta.

Las zapatillas estaban mojadas y llenas de barro. Las di la vuelta para comparar el dibujo de la suela con el de las huellas dejadas en el suelo.

—¡Iguales! —determiné.

Puse una mano en el hombro a Rafa.

—Lo siento, amigo —dije—. No tienes ningún fantasma en casa. Tienes algo mucho peor, ¡un *adolescente!*

—¿Pero cómo hace Julio los gritos de «uuoouu»? —preguntó Rafa.

—No estoy seguro —respondí—, pero, probablemente, igual que tú en la cabaña del árbol.

Puse las manos alrededor de la boca:

—Uuuooouuuooouuu.

Los tres juntos entramos en casa. Encontramos a Julio comiéndose unos cereales en la cocina. Yo llevaba la escoba y Mila las zapatillas.

Rafa apuntó a su hermano con el dedo:

—¡Tú eres el fantasma!

12. Ducha fría
para Julio

Julio lo confesó todo.

—Pero ¿por qué lo haces? —preguntó Rafa—. Casi me matas del susto.

Julio soltó una carcajada.

—Admítelo —dijo a Rafa—: te ha encantado.

Supongo que Julio tenía razón. Había resultado divertido pensar que podría haber un fantasma de verdad.

Lo que quedaba aún por hacer era vengarnos de Julio, desde luego. Se lo merecía. Tuve una idea genial. Era un viejo truco que me había enseñado mi padre.

Esperamos más o menos una media hora. Después, fuimos los tres a la habitación de

Julio. Lo pillamos tumbado en el suelo escuchando música.

—¿Quieres aprender un truco? —le preguntó Rafa.

—No, no puedo, estoy ocupado.

—Venga, tío —insistió Rafa—. Me debes una.

Julio se levantó, suspirando.

Le enseñé un cubo lleno de agua que habíamos traído.

—Puedo hacer que este cubo se quede pegado al techo. ¿Quieres verlo?

Sin esperar su respuesta, me subí con el cubo a la mesa de Julio. Murmuré unas palabras mágica, como abracadabra y cosas así. Luego me puse de puntillas y empujé el cubo hacia arriba.

—Tranquilo, tarda como un minuto en pegarse —expliqué.

Después de unos segundos dije a Julio que se me cansaban los brazos.

—Tú eres más fuerte que yo. ¿Puedes sujetarlo? —le pedí.

Julio soltó un gruñido.

—Mejor aún. Sujétalo con el bate de hockey. Así no hace falta que te subas a la mesa.

Julio lo cogió –intenté no sonreír– y, después, apretó con el palo el cubo contra el techo. Yo lo solté y bajé al suelo. A Mila y Rafa les entró la risa.

—Muchas gracias, Julio —le dijimos antes de salir de la habitación—. ¡Hasta luego!

Y nos fuimos corriendo, dejandolo sujetando el cubo de agua.

—¡Chicos! ¿Cuándo vais a volver? —gritó detrás de nosotros—. ¡Ey! ¡Volved!

Salimos al jardín riéndonos como locos. Unos minutos más tarde, Julio salió a buscarnos. Llevaba la camiseta mojada, pero venía sonriendo.

—Buen truco, chicos —nos felicitó—. Supongo que me lo merecía.

En ese momen-
to, llegaba su padre
en el coche. Julio lo
miró. Luego miró de
nuevo hacia nosotros.
Le brillaban los ojos.

Julio se acercó al coche.

—Oye, papá —dijo—.
¿Quieres ver como pego
un cubo lleno de agua
en el techo?

Rafa se dio la vuelta y me dedicó una sonrisa «especial de Rafa».

Y eso fue todo. Por un euro al día, había espantado un fantasma. ¡Bien! ¡Otro caso resuelto! Con la última pieza, el puzle se había completado. No había nada más que hacer, sólo esperar otro caso.

Sabía que tarde o temprano llegarían más. Más misterios e incognitas que resolver. Tendría que empezar de nuevo, volver a esperar y buscar todas las piezas del caso, una por una.

Por eso me llaman Nino Puzle.